ワッショイ星人の
赤いキャンディー

絵と文
アーナー恵子

Washoi-Seijin's Red Candy
Written and illustrated by Keiko Ahner

鉱脈社

天照大神（太陽）の
お目覚めです。

まだ、

みんなは眠そうです。

Amaterasu (Goddess of the sun) has awakened.
Everyone else seems to be still asleep.

そこで
ニワトリのひと声。

コケコッコ

Then a rooster shouted.
Cook-a-doodle

4

そよ風が
花の香りを運んでいます。
若葉も輝いています。

The gentle breeze is blowing the scent of flowers. Young leaves are also shining.

川沿いに
桜や菜の花も咲いています。

ここは五ヶ瀬川です。
水も気持ちよさそうに流れています。

Cherry blossoms and canola flowers fill the river-side with their fresh blooms.
This is the river Gokase. The water is flowing gracefully.

ワッショイ星人が
木々で
かくれんぼをしています。
そのとき風が吹きました。
風はワッショイ星人を
どこに連れて行くのかな。

Washoi -Seijin are playing hide and seek.
Then, the gentle gust.
Where are the wind taking them?

おや？
鳥や龍もやってきました。
あそこに見えるのは
お大師さん。
お祭りでにぎわっています。
みんな楽しそうです。

Oh！ Birds and a dragon also came together. We can see the statue of Odaishisan over there. Everyone seems to be happy and enjoying the local festival.

ザブーン　ザブーン

ここはどこ？
ヤシの木もあります。　ハワイかな。
いやいや到着したのは、
しもあそビーチでした。
ワッショイ星人の1人は
ネコのさくらの頭に着陸しました。

Zaboon Zaboon
Where are they now? There are palm trees. Can it be Hawaii?
No. They arrived at Shimoaso beach.
One of them have landed on the head of a cat Sakura.

あれ？
ワッショイ延子（のべこ）がいません。
みんなが心配（しんぱい）していると、
犬（いぬ）たちが集（あつ）まってくれました。
「心配（しんぱい）しないで。
僕（ぼく）たちが、
探（さが）してあげるから」

Oh no！ Where's Washoi Nobeko？
When they were worried, the dogs gathered.
"Don't worry. We will find her."says the dog.

なんと
ワッショイ延子(のべこ)は
カニさんたちと
踊(おど)っていました。

Washoi Nobeko was dancing with crabs.

ワッショイ星人たちは、
海に飛び込みたくなりました。
しかし彼らは泳げません。

そこに魚の大群がやってきました。
「僕たちと一緒に泳ごう！」

Washoi-seijin want to join other sea creatures. But they can not swim.
Then there comes the swarm of fish.
"Don't worry. We will help you ! We can swim together !" says the fish.

海の中から
いろんな命の音がします。

We can hear various sounds of life under the sea.

今夜は星祭。
ワッショイ星人にとって、とても大切な日です。
この日はワッショイ星とコンタクトが取れる
特別の日なのです。

ワッショイ星から
宇宙船がやってきます。

Tonight is the Star festival.
The star festival is very important for Washoi-Seijin.
It is the only day they can contact with their mother planet. The spaceship is coming from Washoi planet.

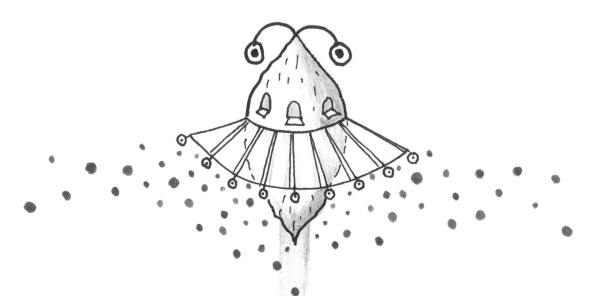

周りは、焼き芋の匂いでプンプン。
ワッショイ星人は腰をフリフリ、
腕を左右にふりふりして踊っています。
そのときです。

宇宙船から赤いキャンディーがばらまかれました。

The smell of roasted sweet potato fills the air.
Their excitement has reached its peak.
Washoi-Seijin wave their hands left and right, and shake their hips.

It's time.
Red candies were scattered from the spaceship.

ワッショイ星人たちは
たとえ目をつぶっていても、
自分のほしいキャンディーを
受け取ることができるのです。

どれも
同じキャンディーに見えますが、
一つひとつ違うのです。

Washoi-Seijn can catch the candy even if their eyes are closed.
The candies may all look the same. But, in fact, they are all different.

このワッショイ星人は、
ノラネコのあんこと
友達になりたいのでした。

赤いキャンディーは、
その望みをかなえてくれました。

This Washoi-Seijin wanted to be a friend with the stray cat Anko.
The red candy made that wish come true.

このワッショイ星人は
お兄さんがほしかったのです。
赤いキャンディーは、
その望みをかなえてくれました。
ときどきケンカもします。
お菓子のとりあいも。

This Washoi-Seijin wanted an older brother.
The red candy made that wish come true.
They sometimes fight for a lot of different reasons.

でもワッショイ星人が
怖そうな犬に
追いかけられた時、
お兄ちゃんが
助けてくれました。

何かあると
いつも
お兄ちゃんはそこにいて
助けてくれるのです。

But when Washoi-Seijin was chased by a scary- looking dog, the brother saved him.
The brother will always be there to help him.

23

この雑草たちは、
もうすぐ抜かれるのです。
ワッショイ星人たちは、
その日までずっと一緒にいたいと思っていました。
赤いキャンディーは、
その望みをかなえてくれました。
彼らは草かげでダンゴムシたちとかくれんぼをしたり、
お昼寝をしたり。
ぎゅっと抱きしめてあげるのでした。

Those weeds will soon to be pulled out.
These Washoi -seijin wanted to be with weeds until the end.
The red candies made that wish come true.
They were always playing hide and seek with the pill bugs under the weeds.
They lovingly hugged the weeds.

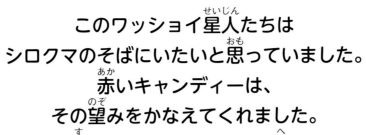

このワッショイ星人たちは
シロクマのそばにいたいと思っていました。
赤いキャンディーは、
その望みをかなえてくれました。
シロクマたちの住むところが、どんどん減っているのです。
彼らはシロクマのそばにいたいと思っていました。

These Washoi-Seijin wanted to be friends with polar bears.
The red candies made that wish come true.
The number of places where polar bears can live is steadily decreasing.
They want to be by their side.

今日は地域のお祭り。
ばんば踊りの歌が聞こえてきます。
ワッショイ星人たちは一緒に踊りたかったのです。
赤いキャンディーはその望みをかなえてくれました。

人々は、悩みも忘れて、
楽しく踊っていました。

Today is the local festival. You can hear the song of Banba Odori.
Washoi-Seijin wanted to dance with people.
The red candies made that wish come true.
People let go of their troubles and enjoy dancing.

見<ruby>み<rt></rt></ruby>かけは
<ruby>同<rt>おな</rt></ruby>じ<ruby>赤<rt>あか</rt></ruby>いキャンディー
でも、
どれも<ruby>違<rt>ちが</rt></ruby>うのですね。

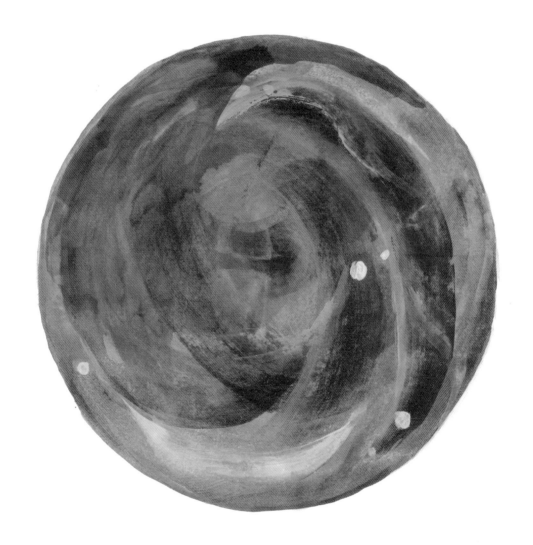

The red candies may look the same, but they are all different.

おや？
ビーチに奇妙（きみょう）な生（い）き物（もの）がいます。
彼（かれ）らはすてられたつり糸（いと）を集（あつ）めています。

彼（かれ）らは誰（だれ）なの？

おそうじ星人（せいじん）で、ワッショイ星人（せいじん）の友達（ともだち）です。
他（ほか）の動物（どうぶつ）のSOSを聞（き）くと、おそうじをしにやってきます。
昨日（きのう）、カモメがつり糸（いと）にからまって、
死（し）んでしまったそうです。

Oh！Look！
You can see some strange creatures on the beach.
They are collecting fishing lines that have been discarded.

Who are they?
They are Cleaning alien and friends of Washoi-Seijin.
When they hear the SOS of other animals, they would come and help to clean.
It seems that, yesterday, a seagull got tangled in a fishing line and died.

彼らは掃除が得意なんだけど、
ここだけの話、
彼らの部屋はかなり散らかっています。

Even thought they are good at cleaning, between you and I, their room can get pretty messy.

ここで大発見。

ずっとむかしのほら穴から、
ワッショイ星人の絵が見つかりました。
その絵には、
踊っているワッショイ星人が描いてあったのです。

Big news!
A painting of Washoi-Seijin was found in an old old cave.
Washoi-Seijin in the mural were dancing.

ワッショイ星人は
エイリアン？　妖精？
昔から地球に住んでいたのですね。
謎は深まるばかりです。

ただ一つ分かっていることは、

ワッショイ星人は
あなたのそばにいて、いつも
見守ってくれているということです。

Are Washoi-Seijin aliens？ Fairies？
They have lived on the earth since ancient times.
The mystery only deepens.
The only thing you do know is that Washoi-Seijin are always by your side and looking after you.

31

●著者プロフィール ————

アーナー恵子　Keiko Ahner

1960年宮崎県生まれ
独学で美術制作。油彩・アクリル画をはじめ、ボディーペイント
やライブペイントも手がける。個展やグループ展を国内外で開催。
著書『ワッショイ星人がやってきた』(鉱脈社・2022)

●主な作品シリーズ ————

クルクルアニメーション
ダンゴ虫シリーズ
ピーナツ星人
アハアハ星人
繋がれた命
ワッショイ星人
(ウエルカムボード、絵画制作、ライブペイント、
イベント参加、ワークショップ等を行っています)

〒 882-0865　宮崎県延岡市鶴ヶ丘 1-26-11
TEL.090-1169-7639
keikoahner0626@gmail.com

ワッショイ星人の赤いキャンディー
Washoi-Seijin's Red Candy

2023 年 11 月 10 日初版印刷
2023 年 12 月 25 日初版発行

絵と文 ● アーナー恵子　Written and illustrated by Keiko Ahner

発行者　　川口敦己
発行所　　鉱脈社　〒 880-8551　宮崎県宮崎市田代町263番地
　　　　　TEL0985-25-1758　FAX0985-25-1803
印刷所　　有限会社鉱脈社
製本所　　日宝綜合製本株式会社